KB178118

시 자판기 ;

당신의 한 줄로 완성되는 시 한 편

시 자판기 ; 당신의 한 줄로 완성되는 시 한 편

발 행 | 2021년 01월 25일
저 자 | 최예지
펴낸이 | 한건희
펴낸곳 | 주식회사 부크크
출판사등록 | 2014.07.15.(제2014-16호)
주 소 | 서울특별시 금천구 가산디지털1로 119 SK트윈타워 A동 305호
전 화 | 1670-8316
이메일 | info@bookk.co.kr

ISBN | 979-11-372-3421-5

www.bookk.co.kr

시 자판기

; 당신의 한 줄로 완성되는 시 한 편

최예지 지음

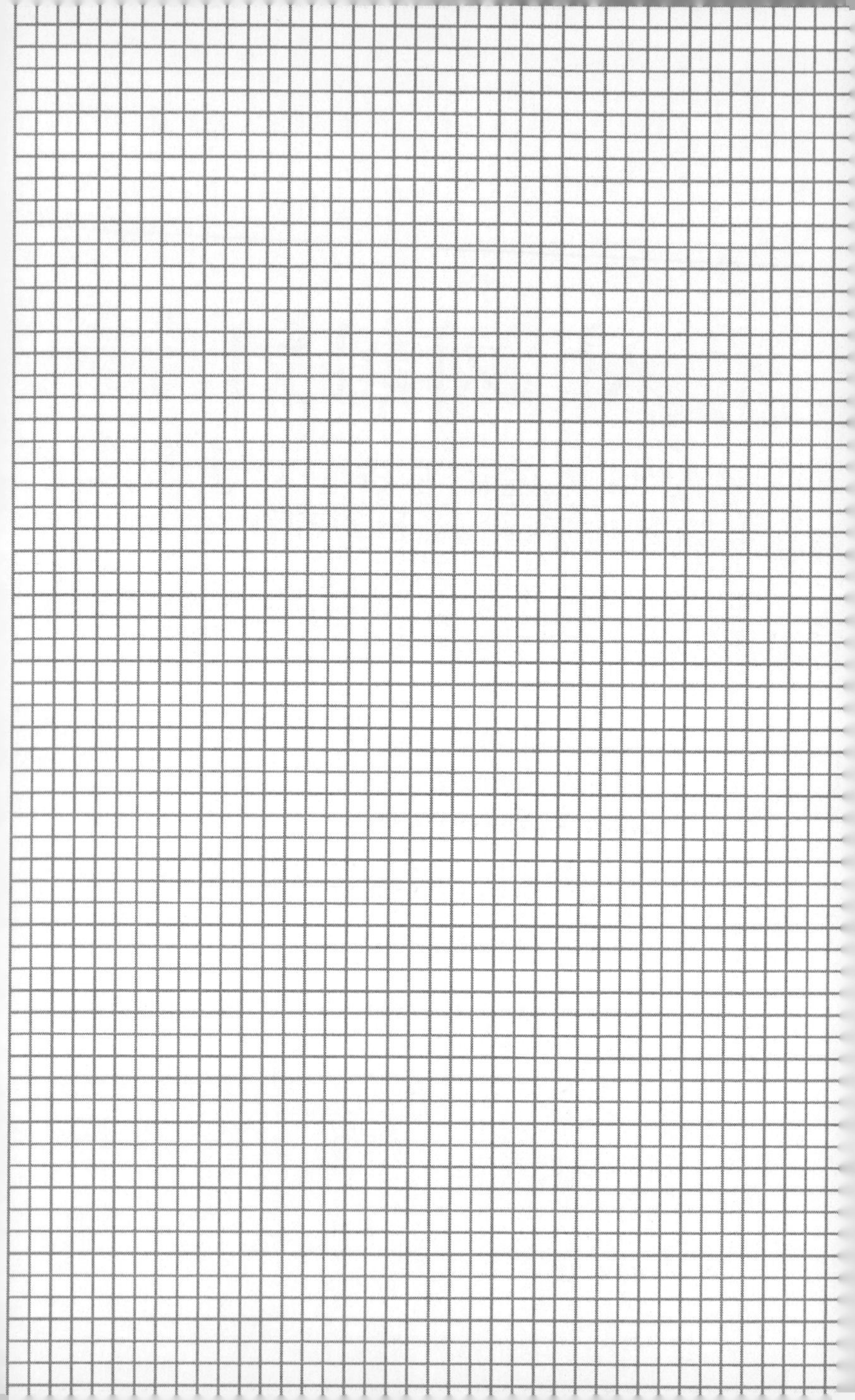

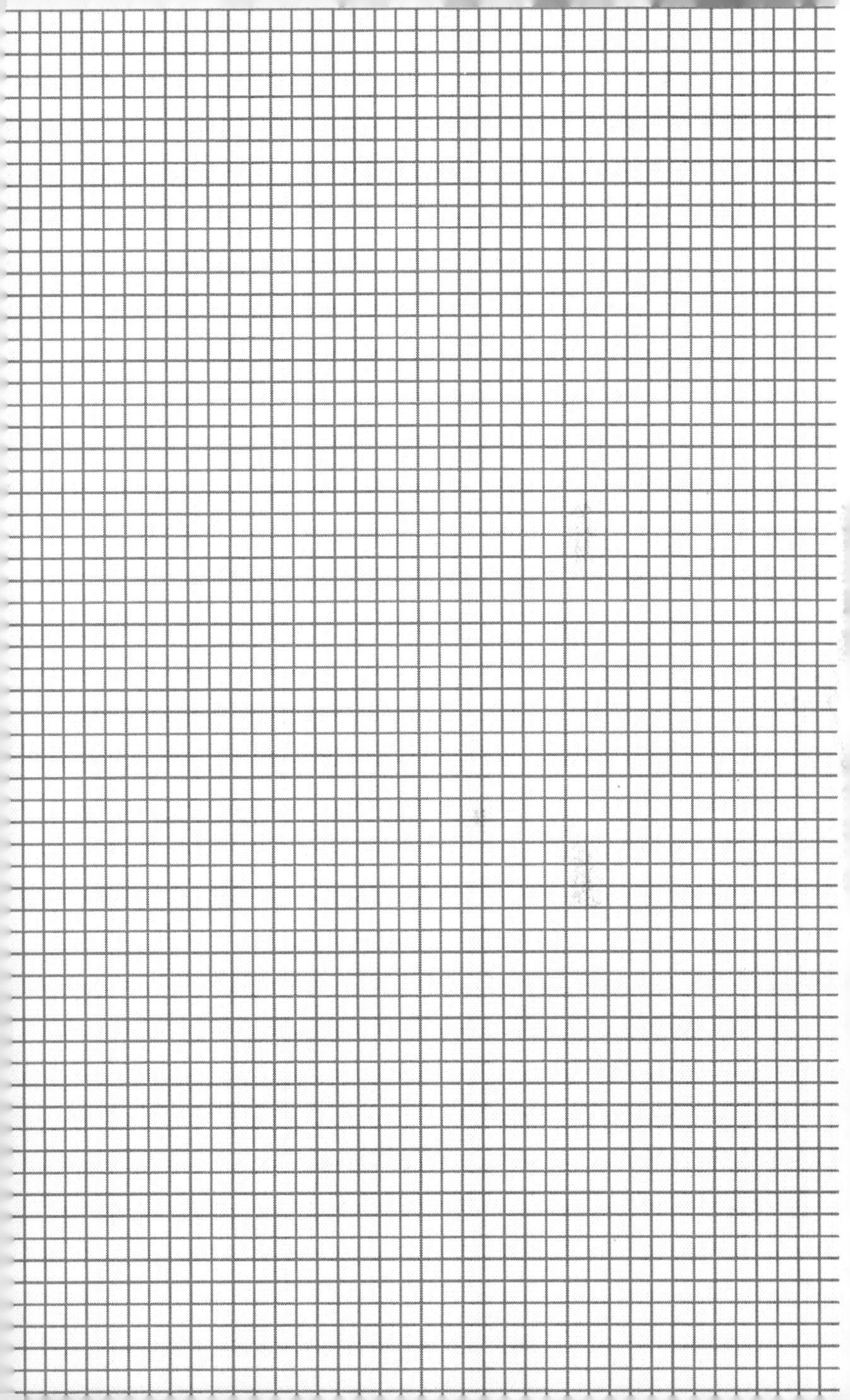

1장. 햇볕이 내리쬐던 여름날 먹던 레모네이드

2장. 옥탑방 평상에서 먹던 달 아래 맥주

3장. 버스정류장에서 마시던 씁쓸한 커피

4장. 한겨울 창문에 기대어서 먹던 코코아

To.
감정을 표현하는 것이 서툴러
한 줄을 지니신 당신께

저는 글을 끝까지 쓰는 사람이 작가라는 얘기를 듣고 초등학교 3학년 때부터 27살인 지금까지 글을 써왔습니다.

지금은 '우리는 모두 작가야.'라는 생각을 합니다. 사연 없는 사람은 이 세상에 단 한 명도 없기 때문입니다. 그렇기에 서로가 힘을 합치면 하나의 작품을 완성할 수 있겠다는 생각이 들었습니다. 그렇게 해서 저는 사람들의 한 줄을 받아 시로 엮어내는 작업을 시작했습니다.

명확하게 한 줄이 있는 사람, 한 줄이 있지만 어떻게 말해야 할지 몰라 길게 풀려있는 사람, 누군가의 한 줄이 그리운 사람 등 다양한 분들이 시 자판기를 찾아와 주셨습니다. 저는 덕분에 많은 얘기를 들을 수 있었고 이를 시로 엮어낼 수 있었습니다.

가벼운 한 줄은 날아가지 않게, 무거운 한 줄은 가라앉지 않게 보내주신 소중한 한 줄에 담긴 기나긴 얘기를 밤새 듣고 정성껏 다루어 신중히 단어를 선택해 시로 엮어냅니다. 그 감성에 여러분도 함께 쉬어가는 시간 되시길 바랍니다.

『예민의 시간시』, 『우울을 몰라서 쌓아만 두었다.』 그리고 이번에 혼자서 시집을 내게 된 '작가로 살아가고 싶은' 사람입니다. 저는 꾸준히 글을 쓸 것입니다. 여러분의 많은 관심과 사랑 부탁합니다.

긴 글 읽어주셔서 진심으로 고맙습니다.

메일 dkwlalsl1@naver.com

부크크

1장. 햇볕이 내리쬐던 여름날 먹던 레모네이드

'난 예쁘지만 지금 생리중이라 성격이 드럽다'라는 한 줄로 작성되었습니다.

<알아서 짜져>

난 예쁘고
지금 생리중이다.
건들지 마,

뾰루지 났어,
그래도 예뻐.
저리 꺼질래?
내 얼굴 안 보여.

복통에 요통에
통통통 승질나
좀 닥칠래?
예쁜 내 목소리 안 들려.

난 쭉 예쁘고
지금 생리중인데
알아서 짜져!

'우리는 평범한 일상을 잃어버렸지만 그래도 여름은 오는구나'라는 한 줄로 작성되었습니다.

<그래도 여름>

그래도 봄은 오고
꽃은 폈구나, 또 졌구나.
봄은 이제 여름에게 물려줬구나.

그러니 여름은 오고
바다는 푸르구나, 또 출렁이는구나.
맘은 이제 여름에게 몽땅 줬구나.

테트리스처럼 맞물렸던 우리는
지뢰찾기 깃발꽂는 마냥 멀어졌지만
그래도 우리는 웃는구나, 평범하듯 그랬듯이

그래도 우리는 오는구나, 잃어버린 일상을 헤치고.

그러니 여름은 왔고
사랑은 뜨겁구나, 또 두근대는구나.
나는 이제 여름에게 몽땅 빠졌구나.

'하늘 위 파도처럼 넘실거리는 구름들이 온 하늘을 에워싸고 있었다. (여름이었다.)'라는 한 줄로 작성되었습니다.

<환영식>

시를 안 쓰던 이도
제주의 여름 앞에선
시인이 된다.
사실, 맘 속에 늘 시가
있었다.

시를 곧 쓰던 이는
바다의 여름 앞에선
화가가 된다.
이내, 맘 속에 푸른 파도가
출렁였다.

그녀는 말했다.
제주의 여름 앞에 서서

"하늘 위 파도처럼
넘실거리는 구름들이
온 하늘을

에워싸고
있었다."

곧잘, 맘 속의 푸른 웃음이
말했다.

"여름이었다."

여름이었다.
뜨거운만큼 시원한
환영이었다.

'후덥지근한 여름 비가 그렇게 기분 좋았던 적은 처음이었다.'라는 한 줄로 작성되었습니다.

<그렇게도 좋았었지>

후덥지근한 여름 비가
그렇게 기분 좋았던 적은
처음이었다.

이유는 두 번째 줄로 밀렸고
기분은 첫 번째 줄로 읽혔다.

그렇게도 처음은
나의 소중함으로
물들어갔다.

머릴 긁적였다.
이보다 다른 말을 할 수 있을까,
난 이미 기분이 너무 좋은걸.

눈을 깜빡였다.
내리는 빗소리를 들으며
오랜만에 단잠에 빠질 것을

여름이었다.
후덥지근한,

‘썸녀한테 고백 하고싶은데 조심스러워서 어떻게 표현할지를 모르겠어요 도와주세요 작가님 썸녀이름은 000이고 특징은 엄청난 집순이에요 되게 귀엽게 생겼답니다.’라는 한 줄로 작성되었습니다.

<내가 말고 ‘너는,’>

널 향한 내 마음이
뭘까 궁금해질 때

널 마주한 내 머리엔
단 한가지 선명해졌어

널 향한 내 마음보다
널 위한 내 행동이 더 중요해

집순이인 너와 함께
집돌이인 나를 공유하고파

귀여운 너와 함께
사랑스러운 순간을 쌓아가고파

널 마주한 내 머리엔
단 한가지 너로 가득 피어나

'꿈을 잃어버린 사람들 사이에서 꿈을 꾼다는 것'라는 한 줄로 작성되었습니다.

<잠수>

같은 흐름을 타고
흘러가다 덜컹,
나만 어딘가에 걸려
잠시 멈추게 되었어

다른 물결로 갈라져
멈춘채로 덜컥,
나는 어딘가를 품어
조금 무겁게 변했어

"난 꿈을 꿔."
"나도 꿈을 꿔."
정말? 너도 꿔?
"그리고 아침에 깨어나."

내가 보는 세상은
조금 무섭게 변했어

"나도 꿈을 꿔."

"그리고 깬다고?"
"아니, 나아가."
어디로?

내가 지나온 나는
여전히 빛났더라,
깜빡거릴만큼 찬란히.

'우리가 함께할 영원한 추억'라는 한 줄로 작성되었습니다.

<나는 우리를 믿어.>

너는 영원을 믿니?
나는 염원을 믿어.

우린 어디 있는 걸까?
'우리'임에 난 기쁜 걸.

함께 할 수 있을까?
고민하는 순간 '우리'는
함께인거야, 이렇게.

추억, 지나간
기억, 말고 찾아올
내일, 로 펼쳐지길 바라.

옆에 없어도 있는 것처럼
추억, 다가올
만남, 으로 우리 가자.

기다란 구름으로.

'나의 백지에 널 좀 덧칠했을 뿐인데 정신 차려보니 이미 한 폭의 그림이 돼'라는 한 줄로 작성되었습니다.

<카니발 퍼레이드>

아무것도 없어
심지어 나조차 없어
무의미하게 팔랑이는
백지 하나였어

우연한 만남이었어
의도치 않았어
스치듯 덧칠한 네가
내게 점점 스며들줄은

뭔가가 있어
심각한 표정이 떠올라
유의미한 펄럭임에
황홀함에 넋을 놓아

정신차려보니
이미 한 폭의 그림이 돼
어떤 바람이 와도
쉬이 펄럭이지 않을

밀고 당기는 너와 나의
축제가 돼

'화내지 않겠다 다짐한지 10초만에 이놈'라는 한 줄로 작성되었습니다.

<잘 부탁해>

방금 치웠는데!
또 흘렸어?
동생 괴롭히면 안 돼,
조심해, 위험해, 그만!

화내지 않겠다
다짐한지
10초만에 이놈

우리 아가 활동적이구나!
또 흘렸구나, 닦아줄까?
동생이 커서 같이 놀면 좋겠지?
조심하렴, 위험하단다, 이리오렴!

화내지 않는 말
다져놓은지
10초만에 이놈

그놈은 으엉으엉

나는 으악으악
애기는 으앙으앙

울음바다에
강아지 녀석 한 몫 한다고
아울아울 울어댄다

엄마도 그랬을까?
아빠는 어땠을까?
자꾸만 돌아보게 되는
그 시절, 그 사람

엄마 우냐며
내 손가락만한 손으로
작은 온기 톡 올려놓는
이놈, 오늘도 잘 부탁해

'아기의 사생활 - 아기의 입장에서 어떤 생활을 하고있을지가 궁금해서요'라는 한 줄로 작성되었습니다.

<매일 신나요>

나는 오직 하나만 알아요.
엄마, 엄마, 엄마.
사랑하는 우리 엄마는
나를 사랑해줘요.

다른 곳은, 다른 사람은
상관없어요. 나의 세상은
엄마가 전부라
엄마가 숨이라
엄마없인 너무 무서워요.

나는 오직 하나만 알아요.
엄마, 엄마, 엄마.
사랑하는 우리 엄마를
나는 사랑해줘요.

다른 곳은, 다른 사람은
엄마빼곤 다 새로워요.

나의 세상은 늘 새로워요.
엄마가 숨이라
엄말믿고 너무 즐거워요.

엄마, 엄마, 엄마.
나는 오직 하나만 알아서
더 슬플 게 없어요,
방긋 웃는 엄마도 행복하세요.

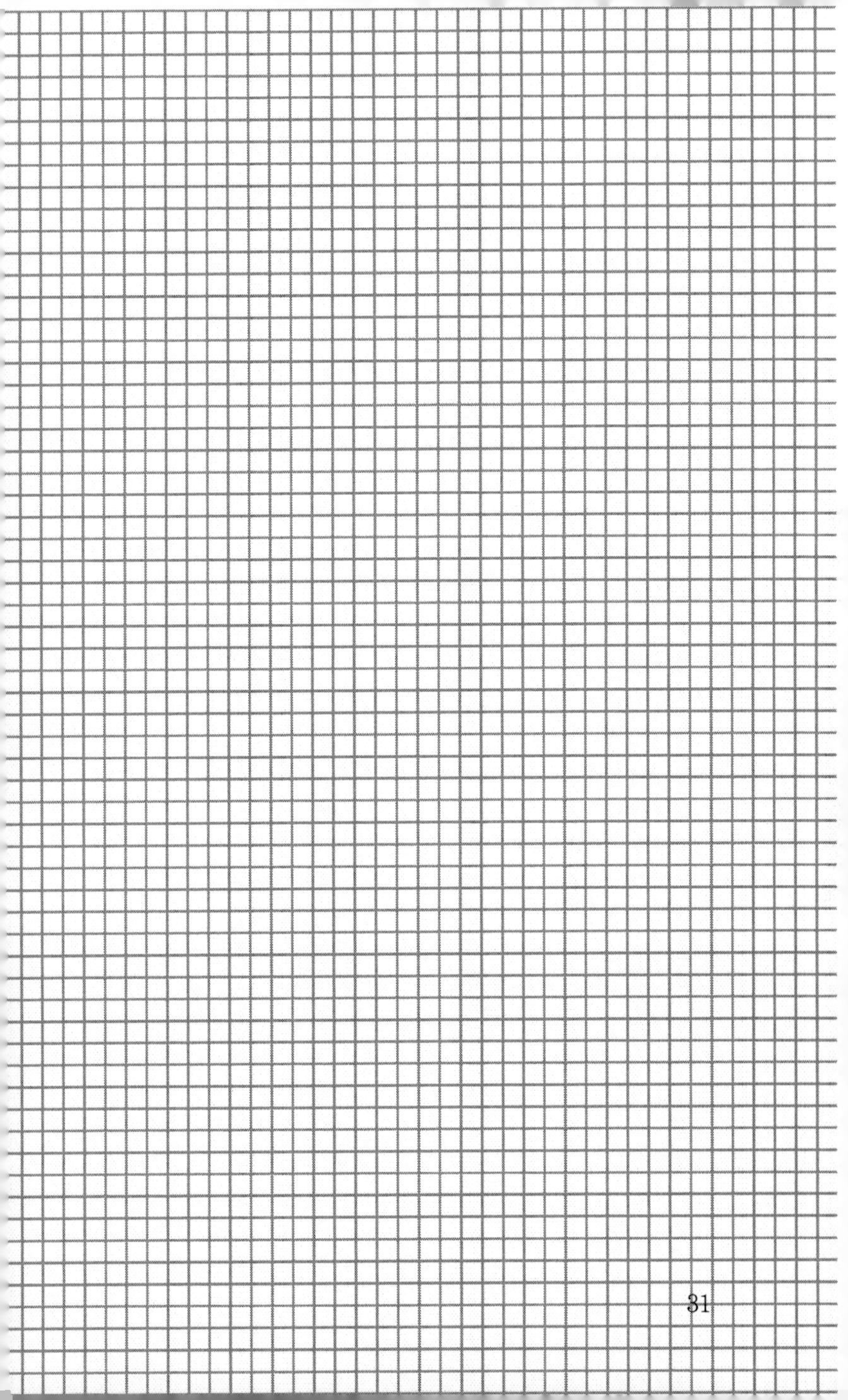

2장. 옥탑방 평상에서 먹던 달 아래 맥주

'코로나가 가져다 준 맑은 공기와 하락한 매출'이라는 한 줄로 작성되었습니다.

<설움만 가득>

미세먼지 오늘도 없네,
하늘 참 깨끗해
잔곤 왜 깨끗해

구름만큼 사람도 없네,
공기 꽤 맑구나
매출 또 하락해

코로나만 바깥 나들이,
하늘 참 무심해
언제 쯤 끝나나

맥주는 기분을 좋게 하지만 속을 안 좋게 한다.'라는 한 줄로 작성되었습니다.

<맥주 한 캔>

찡그리며
맥주 한 캔,
탁 소리따라 팍하고
눈이 떠진다.

"캬-"

나도 모르게 뱉은
나의 숨,
탁 소리따라 푸하고
웃어 버렸다.

"아,"

고민하며
맥주 한 캔,
탁 소리따라 땡하고
속이 아프다.

그래도 들이킨다,
나의 한숨.
오늘로 끝나길 바라며

'그냥 행복하게 살고싶다'라는 한 줄로 작성되었습니다.

<뭐랄까, 그냥.>

살고싶다.
그냥,
행복하게.

그냥 행복한게
아니라
행복하게 살고싶다.

살아내고싶다.
그냥,
나답게.

그냥 나다운게
뭐랄까
알 수 없게 커버렸다.

그냥,
행복하게,
살고싶었던 나는 오늘도
말하고 잠든다.

“살고싶었다고, 행복하게.
그냥, 그냥 말야.”

'업무를 생각하다보면 가끔 증발하고 싶다는 상상을 합니다. (보육교사)'라는 한 줄로 작성되었습니다.

<날 찾지마오>

물은 가만둬도 날아간다는데
몸은 가만히도 무겁기만하다.

증발하고 싶다,
모든 작은 손 살포시 내려놓고
날아가고 싶다, 멀리.

몸은 그다지도 무겁기만한데
맘은 격렬히도 증발하고싶다.

내려놓고 싶다,
날 찾는 모든 일 떼어놓고
가벼웁고 싶다, 부디.

가라앉는 해를 뚫고, 다시
증발하리다, 그 밤으로.

'내가 아무것도 아닌 것 같은 그런 날, 그런 밤'이라는 한 줄로 작성되었습니다.

<그런 날, 그런 밤>

내가 아무것도 아닌 것 같은 그런 날, 그런 밤
내가 아무와도 연결되지 않은 것 같은 그런 날, 그런 밤
내가 아무것도 해놓은 게 없는 것 같은 그런 날, 그런 밤

외롭긴 싫은데 누굴 만나긴 겁나요
자꾸만 늪인지, 강인지 모를 우울에
발버둥치지도 못하고 끝없이 가라앉고 있어요

그런 날, 그런 밤 난 숨겨둔 감정을 꺼내
세로로 적어, 지금의 내가 쫓아가지 못하도록
있는 그대로를 꺼내놔 나를 좀 더 자유롭게 해줘요

내가 아무것도 아닌 것 같은 그런 날, 그런 밤

그런 날, 그런 밤.

'저는 해야하지만 아무것도 하고 싶지 않아 꼭 해야하는 걸까?'라는 한 줄로 작성되었습니다.

<울음>

닭이 먼저일까, 계란이 먼저일까?
아빠랑 살래, 엄마랑 살래?
해야하는데, 꼭 해야할까?

대답할 수 없는 질문이
끙끙 내 속에서 앓고있다.

이미 몸은 익숙하다는 듯
하나, 둘
하고 있지만
어째 맘은 어색하다는 듯
하나, 둘
하고 잊는다.

아무것도 하고 싶지 않아,
아무와도 말하고 싶지 않아,
아무데도 가고 싶지 않아,
Let me alone.
속알맹이가 부글부글 끓는다.

물음표 가득한 이 밤,
낮엔 다시 가려지겠지?
울음만 가득한 이 날,

3장. 버스정류장에서 마시던 씁쓸한 커피

'서울은 비가 온다던데'라는 한 줄로 작성되었습니다.

<서울은 비가 온다던데>

서울은 비가 온다던데
쌓아둔 말은 내리질 않네

비나 흠뻑 내리면
뭐든 한껏 흘릴텐데
숨겨둔 맘은 흐르질 않네

거기는 비가 온다던데
애꿎은 나는 눈만 부시네

하늘이나 힘껏 흐리면
뭐든 맘껏 뱉을텐데
고였던 나는 일어서질 못하네

서울은 비가 온다던데
거기는 그리 온다던데

'차가운 비가 내린다'라는 한 줄로 작성되었습니다.

<내가 내린다.>

차가운 비가 내린다.
내 피부가 느끼는 온도는
세상 그것과 전혀 다르게
자꾸만, 자꾸만 차가웠다.

차가운 비가 내린다
비는 참아냈던 걸
맘껏 쏟아내고 울어
허공의 주먹이 구슬피 울어
울먹이던 지난 날을 위로했다.

차가운 비가 내린다
내게 오지도, 가지도 않고
나도 비도 그 자리에 가만,
가만 서서 날 스치고 지나갔다.
어린 날이 날 시리게 지나쳤다.

차가운 비가 내렸고
차가운 비는 나였다.

'나의 삶의 소중함을 알아가며 살아가고 싶다'라는 한 줄로 작성되었습니다.

<살아가고 싶다>

나의 삶의 소중함
나의 몸의 신중함
나의 살아감 나아감
나의 물음표 드리운 하늘

비가 언제 오려나,
일기예보는 믿을 수 없어.
어느새 뭉친 내 어깰
믿을 수 밖에 없어.

나의 물음표 쌓아둔 하늘
나의 사라짐 나아짐
나의 몸의 절실함
나의 삶의 위대함

비는 이미 왔는지도,
흠뻑. 젖고 마르는지도.

'돈은 잘 버는데 돈 쓸 일이 없는 집돌이이지만 플렉스하면서 편안하고 행복하게 살고싶다'라는 한 줄로 작성되었습니다.

<시간 부자>

돈 쓰는 건 없으니
시간 버는 건 따라온다네

플렉스 하면서
남은 생 살고픈데

편안하고 행복한
삶이라면 충분한데

소망은 감춰진듯
멀게만 느껴지네

뒤돌면 내등에
따스히 피었더랬다

'우린 서로가 서로를 마주한 계절들보다 더 오랜 날들을 알고 있는 것 같잖아'라는 한 줄로 작성되었습니다.

<호흡>

우린 서로가 서로를 마주한 날보다
더 오랜 날들을 알고 있는 것 같잖아

전혀 어색하질 않아,
오래봐온 고향친구처럼
이렇게나 편안한걸.

숨겨둔 마음은 너에게 불투명,
너의 피부에 닿을 만큼 딱딱하게
또 부드럽게 너와 마주해

아는 만큼 또 서롤 이해하니
어찌 사랑하지 않을 수 있을까,
어찌 우리가 우리이지 않을 수 있을까?

전혀 낯설지 않아,
무해한 당신은 나의 숨처럼
이렇게나 함께인 것이 자연스러운걸.

우린 서로가 서로를 마주한 날보다
더 오랜 날들을 알고 있는 것 같잖아.

'헤어지자는 말 물리기로 하고 다시 만났던 그날, 결국 마지막이 되어버린 그날, 네가 날 데려다준 후 서서 바라보던 길모퉁이, 한단 접은 청바지 차림, 메고 있던 메신저백, 그 애틋한 표정, 모든게 13년이 지난 지금도 전혀 잊혀지지 않았다.'라는 한 줄로 작성되었습니다.

<한지>

13년이 지나도 바스라지지 않고
그날 그대로 그때로 선명하다.

네가 날 데려다준 후 서서
바라보던 길모퉁이, 한단
접은 청바지 차림, 메고
있던 메신저백, 그
애틋한 표정, 모든게
끊어지질 않고 여전히
팽팽하게 날 애워싼다.

13년이 지나며 바스라졌던 건
그때 그대로 홀로선 나 하나.

길모퉁이를 바라보던 내
눈빛, 그날 나의 옷차림,

너의 눈에 담긴 나의 표정,
그 애틋한 표정, 모든건
여전한데 나 혼자만 자릴
찾아간 듯 한 구석이 비어있다.

수많은 기억들을 밀치고
자리한 너를 보며 나는
무어라 말을 했다.

,

.

'그리움이 다가기 전에'라는 한 줄로 작성되었습니다.

<정거장에 앉아서 기다려요>

아쉬움을 두고 갔나요,
그 자리에 다시 돌아감은
내가 아직 거기 있나봐요.

그리움이 다가기전에
우릴 다시금 만나게 했던
정거장에 앉아 꽃잎점을 봐요.

다시 온다,
오지 않는다,
다시 온다,

마지막 하나 남은 꽃잎을
눈물로 둘로 쪼개어
내게 들려줘요.

"다시 온다."

그리움이 다가기전에
한번 보면 좋으련만,

그리움이 다가기전에
차라리 그댈 잊음 좋으련만,

‘내일의 나는?’이라는 한 줄로 작성되었습니다.

<나의 사랑하는 물음>

내일의 나는
어디 있을까,
아이를 키우고 노후를 준비하는
그런 것은 내게 묻고 싶지 않다.

어제의 나는
어디 있었지?
나만큼 커버린 아이의 뒤꽁무닐 쫓아
숨쉴 틈도 없이 지쳐왔구나.

오늘의 나는
멀어지기만 한다.
내일에 사는 것이 익숙해져 자꾸만
오늘의 하늘을 까먹는다.

내일의 나는?
오늘의 내가 처절히도 울었으니
내일의 나는 벅찰만큼 웃을 것이다.
불안은 어제의 나에게 던져 확신을 만들고
두려움은 오늘의 나에게 던져 자신으로 만들자.

내일의 나는?
내일의 나는,

'ㅁㅁ야, 넌 고통을 안고 사는 법을 알잖아.'라는 한 줄로 작성되었습니다.

<유리병 편지를 띄우다.>

ㅁㅁ야, 넌 고통을 안고 사는 법을 알잖아.
그래, 난 너가 얼마나 힘들었을지 알아.
나는 너여서 널 100% 이해할 수 있어.
그동안 고생했어, 얼마나 울어왔을까.
눈물 젖은 베게와도 이제 안녕이야, 안녕.

ㅁㅁ야, 넌 고통을 안고 사는 법을 알잖아.
이젠, 완벽하지 않아도 괜찮을 너를 알잖아.
나는 너여서 널 100% 이해할 수 있어.
그동안 수고했어, 얼마나 땀 흘려왔을까.
식은 땀 나던 두통과도 이젠 안녕이야, 안녕.

완벽하느라 굳어버린
굳느라 부셔져버린 과거의 흉터야,
이젠 널 보내줄게.
조심히 가, 추억이 떠오를 때 잠시 보자.

'웃음 없는 하루는 낭비한 하루이다.'라는 한 줄로 작성되었습니다.

<나의 의미를 찾아>

누군가의 언어가
신념처럼 내게 꽂혔다.

웃음 없는 하루는
낭비한 하루이다.
무의미해지고 싶지 않아,
뿌듯한 하루이고 싶어.

거울 앞에 서서
입꼬릴 손으로 올린다.
어색하게나마 웃는
내가 눈짓한다.

나의 행복하고픈 맘이
신념처럼 내게 꽂혔다.

'땅끝은 늘 젖어 있다는 것이' (나희덕 시인의 땅끝 중 나오는 한 구절을 인용) 라는 한 줄로 작성되었습니다.

<끝의 시작>

뒷걸음질치며는
파삭 무너질 줄 알았는데
푹신히 밟히는 땅끝이
신발 움푹 젖은 모양새가
나를 흠뻑 웃음에 적시네

땅끝은 늘 젖어 있다는 것이
실패와는 헤어질 수 없는 존재도
자국을 남기고 딛고 일어설 것이라
내게 힘껏 소리쳐 말해주었지

끝나고나며는
다신 시작할 수 없는 줄 알았더니
푹신히 밟히는 땅끝에서
땅이 시작되고 있음을 보았네

'인생은 한 번 뿐이지만 행복은 셀 수 없기를'이라는 한 줄로 작성되었습니다. ('행복은 셀 수 없기를'이라는 기존 문구 인용)

<무수히>

"행복하려고 사는 거래"
목을 메달다 말고 말했고
"죽으면 어차피 끝이잖아?"
줄을 고르다 말고 말했고
"행복하고 싶어. 사실 죽기 싫어."
문을 열다 말고 소리쳤다.

사는 것과 죽는 것으로
쉬이 갈라져버린 인생 앞에
가볍기도, 무겁기도,
부드럽기도, 거칠기도,
딱딱하기도, 물렁하기도 한 행복이
갑자기 나타났다.

때론 우박처럼 햇님처럼
구석구석 자리했다.
행복이 하나의 길에
구석구석 피어났다.

떡볶이를 먹다 말고
종이마다 기록했다.
인생은 한 번 뿐이지만
행복은 셀 수 없기를

'그저 조금 더디 - 조금 빨리 그 차이만 있을 뿐'이라는 한 줄로 작성되었습니다.

<항해, 항해>

지켜야해
가져야해
이뤄야해

해내야해

끝없는 해의 연속에
온몸이 벌겋게 타들어갈 때도
나는 포기하지 않았고
그것은 나와의 승부라 할 수 있었다.

그저 조금 더디 -
조금 빨리
그 차이만 있을 뿐
그것은 내가 나아감에 아무 영향도 주지 않았다.

걸어가기도
멈춰서기도
누워있기도

뛰어가기도

오늘도 난
시간의 돛단밸 타고
나아가고 있다, 나를 향해, 향해.

'위르겐 하버마스가 주장한 공론장이 인터넷 공간에서 숙의 민주주의를 증진하는 방향으로 정착하려면 난 대체 무얼 해야 하는가'라는 한 줄로 작성되었습니다.

<격렬한>

위르겐 하버마스.
처음 들어보는 단어
공론장,
알듯 하지만 설명할 수 없는 단어
숙의 민주주의,
알수록 모르겠는 단어
그리고 너무 익숙한 문장
"난 대체 무얼 해야 하는가"

이끌 것인가,
주도하는 방향
도와줄 것인가,
경계에서 정리하는 역할
지켜볼 것인가,
분석하고 모색하는 관찰자
어디에 서있겠냐는
나의 서툰 물음 앞에
무언가를 할 거라는

당신의 노련한 의지 위에
“난 대체 무얼 해야 하는가”

행동의 고민으로부터
실천의 나아감으로까지
거의 다 왔습니다, 격렬히.

4장. 한겨울 창가에 기대어서 먹던 코코아

'우리 손 잡을까요'라는 한 줄로 작성되었습니다.

<손>

우리 손 잡을까요
당신의 체온을 알고 싶어요
당신께 체온을 주고 싶어요

우리 손 잡을까요
당신의 공간에 들어가고 싶어요
당신께 공간을 나눠주고 싶어요

우리 손 잡을까요
당신의 고독을 안고 싶어요
당신께 고민을 안기고 싶어요

"우리 손 잡을까요"
놀라지 않게 천천히
당신께 스며 들게요

'나라는 나무에 너라는 꽃이 폈네'라는 한 줄로 작성되었습니다.

<숲>

나라는 나무에
너라는 꽃이 폈네

너라는 나무에
나라는 꽃이 폈네

누구든 될 수 있고
누구나 할 수 있는
너와 나의 관계는
단 하나의 점처럼

우리라는 숲속에
서로라는 열매가 켰네

'항상 고마워, 생일 축하해'라는 한 줄로 작성되었습니다.

<00's day>

00이랑 있으면
웃음이 나
웃는 널 따라
행복해져

나의 행복인
소중한 00이
너의 행복일
고마운 너의 생일을,
같이 축하해주자

그날, 너와 너의
주변사람을 통해
너의 소중함을
맘껏 만끽하자

나랑 다른 듯
닮은 너에게
난 항상 고마워, 진심으로

생일 축하해, 나의 00.

'반짝이는 네가 좋아'라는 한 줄로 작성되었습니다.

<사랑님>

반짝이는 네가 좋아

한치 앞도 안 보이는
깜깜한 밤에도 빛나는

너무 훤히 보여서
두려운 낮에도 빛나는

반짝이지 않는
너도 좋아

언제나 내 맘속에선
선명하게 널 비추는

반짝이는 널 사랑이라 부를게

'0소위, 힘내자 같이'라는 한 줄로 작성되었습니다.

<당신과 마주보고>

당신이 지나간 길에
가로등이 켜질 걸 알아
그 옆에 손 잡은 내가
당신과 함께 거닐고 있어

0소위, 힘내자 같이
사실 하고픈 말은
소중한 0소위, 사랑해

힘내란 말에
쉬이 힘낼 수 없단 걸 알아
그 옆에 응원하는 내가
당신과 함께 힘내고 있어

0소위, 잘하고 있어 우린
사실 주고픈 맘은
언제나 멋진 그대를, 사랑해

'어쩌다 네가 내게 왔을까? 최선은 다하는데 늘 미안하고 사랑해'라는 한 줄로 작성되었습니다.

<진심>

어쩌다 네가 내게 왔을까?
가녀린 풀잎 하나도 잡지 못하는 내가
다가온 널 놓칠 수 없었나봐.

너의 소중한 조각들을 위해
최선은 다하는데 자꾸만 삐끗,
접질르는 발목에 조금 더뎠나봐.

늘 미안하고 사랑해
'늘'이란 단어 안에 온맘 다해
내 시간을 차곡차곡 쌓아 선물하고파.

너를 좀 더 웃게 해주겠단 다짐은
세상에 치여 너를 좀 덜 울게 하잔
처절함으로 절뚝거려, 미안해

너는 나의 우선순위 1등이야,
나는 널 위한 사람이야,
너를 나는 늘 생각해,

너에게 언제라도 달려갈게,

사랑해

결코 허투루 쓰지 않을거야
진심만이 가득해 어떤것도
자리할 수 없도록 꽉꽉 담아
널 번쩍 들어올릴거야

사랑해

'당신을 사랑한 순간은 내 인생 최고의 순간이었어요.'
라는 한 줄로 작성되었습니다.

<최고의 나>

당신을 사랑한
순간은
내 인생 최고의
순간이었어요.

당신을 사랑할
날들도
내 인생 최고의
날일거예요.

곁에 있어도, 없어도
옆에 있는 것처럼
날 따스히 안아준 그대,
사랑스러운 나의 그때

앞으로의 내 길에서
힘들고 지칠 때도
날 따스히 안아줄 그대,
옆에 있는 것처럼

같이, 따로 또 같이

당신을 사랑한
나는
내 인생 최고의
나였어요.

'묵묵히 박수를 쳐준 그대, 그저 그뿐이었던 그대를 위해 춤을 출게요.'라는 한 줄로 작성되었습니다.

<춤>

관객도 한 명 없는 무대,
난 배우가 되더군요.

대사도 한 줄 없는 역할,
난 지루해 졸았더군요.

이제는 들려온,
그때의 박수소리.

묵묵히 박수친
어떠한 표정이.

무엇을 한 들 보고싶은 그대,
그댈 위해서 출게요, 춤.

그저 그뿐이었던
그대를 위해,
그댈 위해서 쉴게요, 숨.

‘남자친구가 3개월간 중국출장중인데 혼자 저희 냥이 들하고 있으니 힘들어요 몸이 멀어져도 서로 사랑하면 버틴다던데 저에 대한 사랑도 식은 것 같아 더 우울한 요즘이네요 그냥 위로받고 싶어 주문하여 보았어요’라는 한 줄로 작성되었습니다.

<안아주고 싶어요, 따스히>

오늘도 혼자이실까요?
빈자리가 얼마나 쓸쓸하실까
헤아리지도 못하겠습니다.

지금도 우울하신가요?
불안한 당신의 아침에
따스한 햇빛 한 줄기
보내고픕니다.

사랑이 식은 걸까요?
예전만큼 닿아있진 못해도
애틋한 맘이 커갈겁니다,
그것은 서로 향한 사랑입니다.

시간의 속도는 어떠신가요?
느리게 간다면 조바심이,

빠르게 간다면 두려움이
당신을 이곳 저곳 데려가지 않길 바랍니다.

위로하는게 조심스럽지만,
당신을 공감하고 들어주고
기다리는 누군가가 말하고 있음을
잊지 않으시면 오늘은 한 뼘 더
입꼬리가 올라갈지도 모르겠습니다.

나는 당신이 아니기에
당신을 온전히 이해할 수 없지만
나는 당신이 아니기에
당신을 온전히 안아줄 수 있습니다.

제 품에 조금은
따듯하실까요?

'아이를 키운다는 것'이라는 한 줄로 작성되었습니다.

<세계를 만든다.>

아이를 키운다는 것은
경험해본 적 없지만
내가 아이에서 커왔으니
어렴풋이 알 것도 같다.

나의 어린 시절을 떠올리자면
부모의 사랑을 갈구했고
채우지 못함에 체념했다.

나 자신을 잊어야
한 아이가 스스로를 새길 수 있음에
그것이 얼마나 어려운 일인지
깨달으며 커왔다.

어느 날에 내가 애인지
애가 나인지,
애초에 나는 있긴 한건지
알 수 없을 정도로 혼란스러운 날에
웃음꽃 활짝 핀 너의 반짝이는 미솔 보면
언제 그랬냐는 듯 난 또 널 따라가고 있다.

작은 걸음에 담긴 큰 마음에
하루하루 다른 미소로 나를 반겨주는
사랑스러운, 얄미운 아이야

세상 모든 감정을 만나며
새삼 모든 걸 드러낼 수 없음에
괴로워하며
세상 모든 아름다운 걸
찾아내보며

나는 그렇게
아이를 키우고 있었다.

'당신의 상처보다 당신은 크다'라는 한 줄로 작성되었습니다.

<나의 나에게>

소중한 이가
다쳐 웅크릴 때
온맘 다해 바칩니다.

"당신의 상처보다
당신은 크다."

오랫동안 곪느라
아픈지도 모를 때
온힘 다해 소리칩니다.

"당신의 상처보다
당신은 크다."

당신의 상처보다
당신이 클 때
온 사랑 다해 커갑니다,
당신의 존재가.

날 괴롭게만 했던
상처와 마주했을 때
온 정성 다해 빚습니다,
나의 나를.

'잘할 수 있을까'라는 한 줄로 작성되었습니다.

<나에게 응원>

잘할 수 있을까
나를 향한 기대 속에서
나를 위한 나의 기대가 들려

나갈 수 있을까
나를 잡는 부담 속에서
나를 미는 나의 믿음이 뛰어

해볼 순 있을까
내가 부르는 불안 사이에
나도 뚫어낸 확신이 피어

난 잘할 수 있어
내가 나에게 응원하고 있어

잘할 수 있을까?
잘할 수 있어, 할 수 있어.

'난 뭘 해도 잘 될 거야'라는 한 줄로 작성되었습니다.

<좋아>

난 뭘 해도 잘 될 거야
거기도 길이 있을 거야
난 나를 의심하지 않아
한번 더 내 이름을 불러줄 뿐이야

지금 당장이 아니어도 괜찮아
내 인생은 끝나지 않을 거야
나는 내일도 살아갈 거야
난 나를 기다릴 수 있어

난 뭘 해도 잘 될 거야
난 뭘 해도 잘 할 거야
난 뭘 해도 잘 하고 있어
나는 내가 가장 잘 아니까

난 오늘도 잘 하고 있어

'너무 잘하려고 하지마...'라는 한 줄로 작성되었습니다.

<뚝, 뚝, 똑.>

애쓰지 말란
노래도 있더라,
너무 잘하려고 하지마,
안쓰러워서 하는 말이야.

너 하고픈 만큼만
해도 괜찮아,
더 이상 눈치보지 말자,
나 보기에도 가쁜 삶이잖아.

사실 이미 충분하게
잘하고 있어, 거기에 더
너를 갈아넣지 않아도 돼.

불안을 덜어도 괜찮아.
충분해,
그러니 조금 덜 울자.

'내 삶은 왜 이럴까?'라는 한 줄로 작성되었습니다.

<멋진 우리 이모님 헌정시>

당신의 탓은 하나도 없어요.
당신의 선택은 환경이 만들었고
환경은 당신이 선택할 수 없는
외부의 것이니까요.

이미 답을 잘 아는 당신께
저의 말은 질문을 드리는 역할입니다.
나를 사랑하는 만큼 소중히 대해주세요.
자신은 자신을 도와주기 위한 존재이니까요,

내 삶은 왜 이럴까?
끝의 물음표는 답답함의 외침이겠죠.
바꿀 수 없을 거란 무력함에
때론 절로 한숨을 뱉진 않으셨을런지요.

당신의 탓은 하나도 없어요.
당신의 선택은 당신의 최선이었고
환경은 당신 뜻과 다르게만 갔고
그것은 당신 탓이 아니니까요.

당신은 한계를 극복해내고
스스로를 발전해가며 나아가는
엄청난 사람입니다, 좀 더
자부심 가지셔도 좋아요,

멋진 우리 이모님.

'ㅁㅁ야, 살아있어 줘서 고마워.'라는 한 줄로 작성되었습니다.

<사랑 고백>

살아있어줘서 고마워
사실 나에게 제일
듣고 싶었던 말이야.
ㅁㅁ야, 살아있어줘서 고마워

살아내느라 고생 많아
사실 울기도 울고
끝내고픈 맘, 한 두번이 아녔어.
ㅁㅁ야, 지금을 함께 해줘서 고마워

사랑을 구원이라 믿는다던
어느 누구의 말처럼, 나
구원받은걸까, 어쩌면
ㅁㅁ야, 날 사랑해줘서 고마워

날 있는 그대로 사랑할게
나 있는 자리에 살아갈게

'내가 점점 작아져서 사라질 것만 같아'라는 한 줄로 작성되었습니다.

<소리쳐>

내가 점점 사라져
작아져서 사라질 것 같아
맘놓고 울지도 못해
내가 눈물이 되어 흩어질까봐
이유를 찾기엔 지쳤어
세상이 날 기다려주지 않아
이러다가 아주 작은 점이 되어
거기 있었는지도 모르게 사라질 것 같아

내가 점점 사라져
작아져서 사라질 것 같아
맘놓고 따지지도 못해
내가 결국엔 나만 미워할까봐
내일이 오는 것도 지쳤어
날 내버려두었음 해,
내가 있는지도 모르게 날 좀
잊어주길 바라.
세상의 모퉁이에서 날 똑
떼어내주길 바라.

내 목소리만은
내게 닿길

‘친구에게 힘이 되는 말’이라는 한 줄로 작성되었습니다.

<open>

납득하기 싫은 과거가
뽀글뽀글 거품처럼 늘어나
날 가만히 내버려두질 않는다.

잊자, 잊어버리자.
다짐할수록 선명해져가
나의 ‘문제’가 되었다.

받아들이자, 그러자.
이해할수록 흐릿해져가
지나칠 ‘문장’이 되었다.

이해할수록 사랑이 되어
내가 열고 나갈 ‘문’이 되었다.

'노력에 관한 글'이란 한 줄로 작성되었습니다.

<노력은 가까워>

노력은 의심과 가까워
잘하고 있는데도 불안해지고
잘하지 못하더라도 고칠 기회를 주지 않아
내가 바라는 모습과 더 멀어지게
자꾸만 멀어지게 사이를 갈라놓는다

노력은 비교와 가까워
나의 모습은 보이질 않고
남의 모습만 자꾸 선명해져 초조해지고
내가 외치는 소리와 더 멀어지게
자꾸만 멀어지게 사이를 떨어뜨려놓는다

노력은 믿음과 가까워
한번 믿기 시작하면 쌓이고
누가 흔들어도 내가 흔들어도 단단해지고
나의 응원과 격려가 들러붙어 자신있어지고
내가 바라는 그곳에 이미 닿은 듯
더 가깝게 또 가깝게 사이를 붙여놓는다

노력은 과정과 가까워

멀리에 있는 결과를 보다보면
그동안의 시간은 흐릿해지고
매순간에 집중하다보면
앞으로의 시간이 기대되어 행복해지고
내가 바라는 목표를 이미 해낸 듯
나만의 속도로 다가가 나를 그려놓는다

당신과 당신의 노력이
조금 더 가까운 사이가 되길 바라요

'후회없이 잘 살고 있다'라는 한 줄로 작성되었습니다.

<인생함에 동그란 말>

네모난 인생함에
동그란 말을 넣는다.

그동안 고생했어,
잘 하고 있는 거 알아.
그리고
"후회없이 잘 살고 있다"

가만히 읊조린 입술에
손을 대면 진동이
울리며 나는 천천히
눈물을 밖으로 밀어낸다.

어떤 환경에서도
나는 나를 잊지 않고
나는 나도 잃지 않고
잘해왔다고 자부한다.

가만히 되뇌인 생각에
발을 올리면 땀방울이

쏟아질 듯 고이다 투둑둑
노력의 시간을 흘려 보낸다.

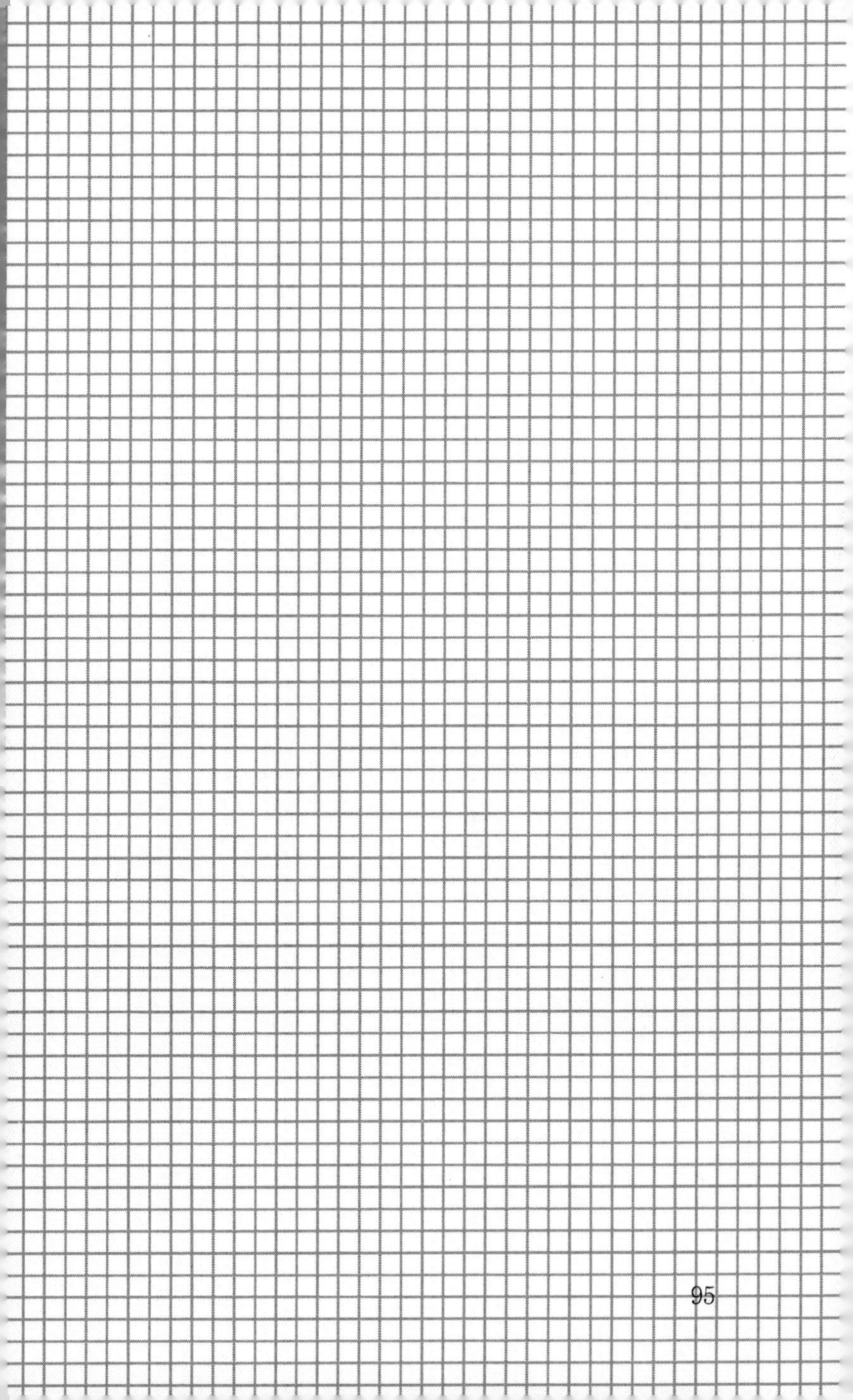

From.
최예지

시집으로 떠나는 여유로운 시간 잘 보내고 오셨나요? 저는 한 줄을 받으면 한 줄을 곧이곧대로 읽지 않고 그 안에 숨겨진 또 다른 얘기를 찾아 단어를 하나씩 끊어 읽고 많이 생각하며 고민을 해본답니다. 이번 시집의 소제목은 그러한 의미에서 붙였답니다. 제게 보내주신 그 한 줄은 누군가의 살아가는 일상이었고 누군가가 사랑하는 순간이었고 누군가의 찾아가는 삶이었습니다. 여러분께도 당신의 마음에 와닿길 간절히 바랍니다.

5권이라는 목표와 함께 저를 아낌없이 지지해주시는 임동희 교수님과 시집을 내라며 계속 응원해주신 어머니와 가족 여러분, 그리고 사랑하는 친구들과 제 글을 사랑해주시고 찾아주시는 여러분. 진심으로 고맙습니다. 덕분에 제가 이렇게 또 세상에 한 발 내딛게 되었습니다. 따듯하게 잡아주신 온기 잊지 못할 것입니다.

이번 시집은 어떻게 읽으셨는지 궁금합니다. 언제든 궁금하신 점은 편하게 질문 바랍니다. 앞으로도 함께 글을 쓰는 작가가 되겠습니다. 이번이 네 번째 책입니다. 5권까지는 꾸준히 책을 발행하기 위해 있는 힘껏 노력하며 지내고 있습니다. 나머지 1권은 어떤 책이 나올지 함께 기대 바랍니다. 그 이후에도 저는 계속 글을 쓸 겁니다. 누군가의 용기가 될 수 있도록 멈추지 않을 것입니다.

다시 한번 찾아와 주셔서 고맙습니다, 긴 글 읽어주셔서 고맙습니다.

'들뜨지 않는 마음'이라는 한 줄로 작성되었습니다.

<사랑을 아십니까? 사이비 아닙니다.>

열기구는 줄이 있다.
언제든 내려올 수 있는
그런 줄이 있다.

내겐 줄이 없었다.
바랄 때 바래질 때까지
하늘에 홀로 있었다.

조증이라는 캐릭터를 그리고
풍선을 손에 쥐어주었다.
타고 날아가라고
날아가지 않게 잡으라고

바람이 거세 줄이 끊어졌는데
날아가지 않았다.
들뜨지 않는 마음은
중력과 함께였다.

들뜨지 않는 마음이
사랑이었다.

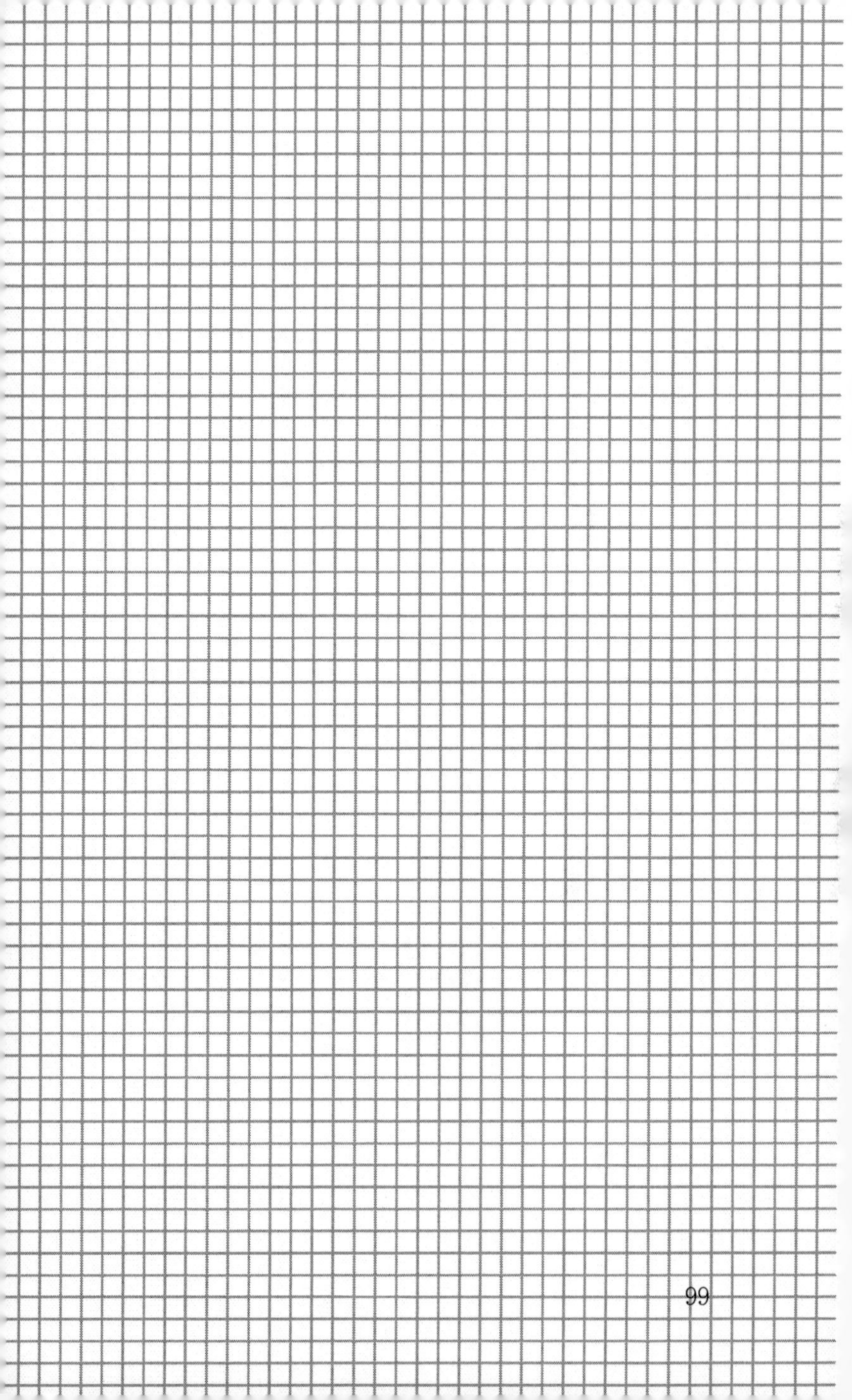

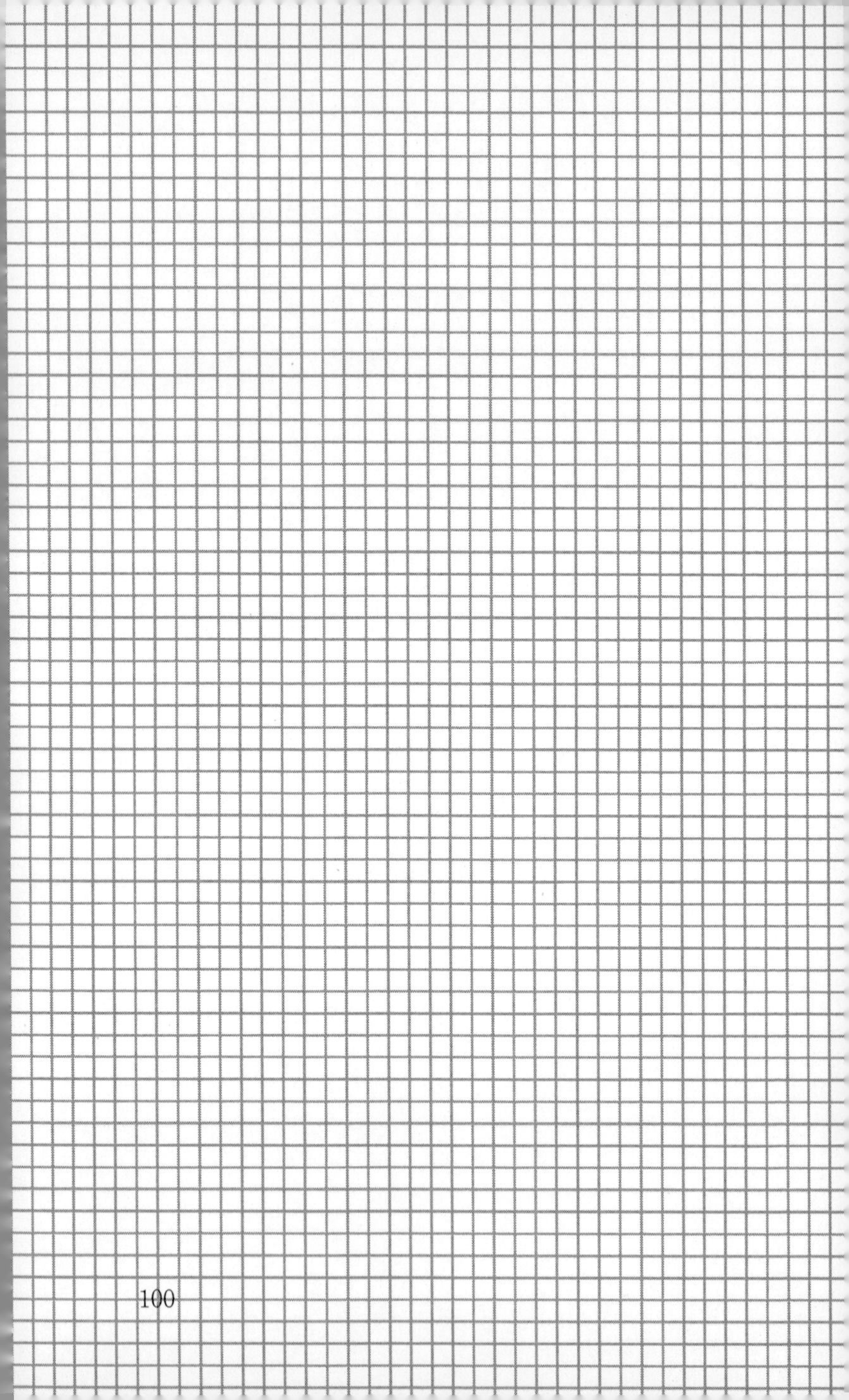